IONANN ACH DIOFRAICHTE

Dham theaghlach 's dham charaidean 's dhan a h-uile neach aig na leabharlannan, na sgoiltean is na bùithtean-leabhraichean a choinnich rium air mo thuras – mo thaing dhuibh uile airson ur taice.

Dha Louise Bolongaro aig an robh an lèirsinn airson an leabhar seo a thoirt gu buil – tapadh leat – K.N.

Dha Aida – K.H.

OSCR
Scottish Charity Regulator
www.oscr.org.uk
Registered Charity
SC047866

Riaghladair Carthannas na h-Alba
Carthannas Clàraichte/
Registered Charity SC047866

A' chiad fhoillseachadh sa Bheurla 2019 le Nosy Crow Earr, 14 Baden Place, Crosby Row, Lunnainn SE1 1YW • www.nosycrow.com • Tha na logos an cois Nosy Crow nan comharran malairt agus /no nan comharran malairt de Nosy Crow Earr. • © an teacsa Karl Newson 2019 • © nan dealbhan Kate Hindley 2019 • Tha Karl Newson agus Kate Hindley a' dleasadh an còraichean a bhith air an aithneachadh mar ùghdar agus neach-deilbh na h-obrach seo. • 10 9 8 7 6 5 4 3 2 1 (PB) • A' chiad fhoillseachadh sa Ghàidhlig ann an 2019 le Acair • An Tosgan, Rathad Shìophoirt, Steòrnabhagh, Eilean Leòdhais HS1 2SD • info@acairbooks.com • www.acairbooks.com • © an teacsa Ghàidhlig Acair, 2019 • An tionndadh Gàidhlig le Iain D. Urchardan • An dealbhachadh sa Ghàidhlig le Mairead Anna NicLeòid • Tha Acair a' faighinn taic bho Bhòrd na Gàidhlig • Gheibhear clàr catalog CIP airson an leabhair seo ann an Leabharlann Bhreatainn. • B' e pàipear nàdarrach, ath-chuartachaidh bho fhiodh a chaidh fhàs ann an coilltean seasmhach a chaidh a chleachdadh anns an leabhar seo. • Clò-bhuailte ann an Sìona • LAGE/ISBN 978-1-78907-058-3

IONANN ACH DIOFRAICHTE

Karl Newson & Kate Hindley

Is mise mise,
agus is tusa thusa.

Tha sinn ionann,
ach diofraichte cuideachd.

’S toigh leamsa
bracaist.

’S toigh is leatsa.

Ach chan òl mise
mar a dh’òlas tusa!

Tha mise mòr.

Tha thusa beag.

Tha mise goirid.

Tha thusa àrd.

Tha mise sona.

Tha is thusa.

Cha shreap mise idir
cho àrd riutsa.

Tha mise
càirdeil.

Tha thusa
cas.

Tha mise
ciùin.

Tha thusa
bras.

Tha mise spòrsail. Tha is thusa cuideachd.

Chan fhalaich mise cho math riutsa.

Tha mise
teth.

Tha thusa fuar.

Tha mise òg.

Tha thusa aosta.

Tha mise acrach.

Tha is thusa cuideachd.

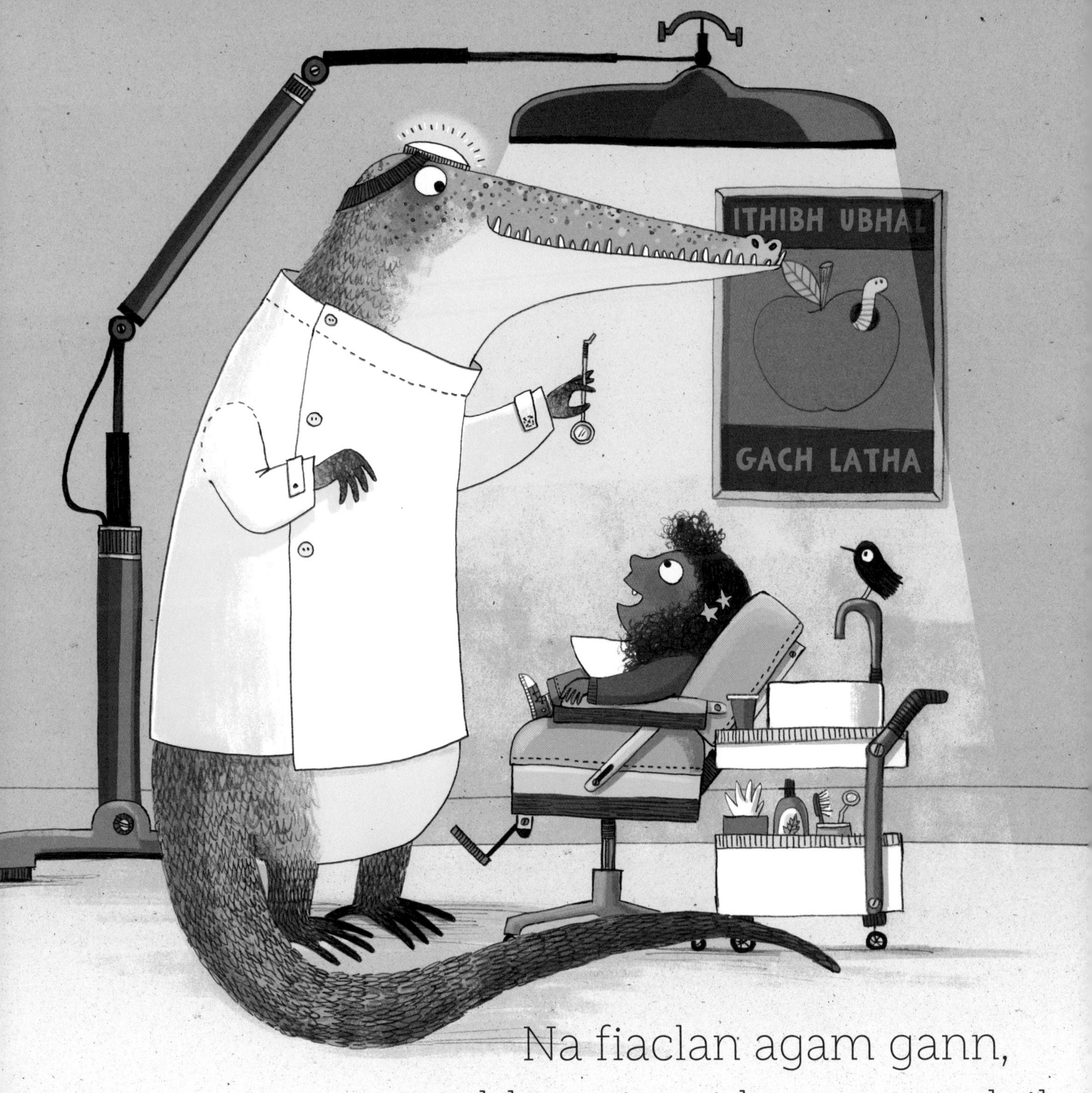

Na fiaclan agam gann,
oir bha mi ag ithe cus sgudail.

Tha mise
gu h-àrd.

Tha thusa
gu h-ìosal.

Tha mise luath.
Tha thusa slaodach.

Tha mise fliuch. Tha is thusa.

’S urrainn dhòmhsa
snàmh
coltach riutsa.

Tha mise sàmhach.

Chan eil thusa.

Tha mise
nam aonar.

Tha thusa
sa bhuidheann.

Tha mise
ag èisteachd.

Tha is thusa.

'S toigh leamsa stòiridhean.

'S toigh is leatsa cuideachd.

Tha an cadal
ormsa a-nis.

Tha agus ortsa.

Oidhche mhath dhòmhsa . . .

… oidhche mhath dhutsa.

SGEULACHDAN
CADAIL